Le petit livre

NUTELLA®

SANDRA MAHUT

PHOTOGRAPHIES DE NATHALIE CARNET

MARABOUT

REMERCIEMENTS

Merci à Aris pour sa superbe énergie et son gâteau renversé.

SHOPPING

Caravane Emporium, 19, rue Saint-nicolas 75012 paris
Mud australia, www.mudaustralia.com
Peinture Farrow & Ball, 50, rue de l'Université 75007 paris

NUTELLA® est une marque du groupe Ferrero.

Relecture et mise en page : Nohémie Szydlo
Relecture : Chloé Chauveau

© Hachette Livre (Marabout) 2011
ISBN : 978-2-501-07320-2
4076774 / 22
Dépôt légal : mai 2011
Achevé d'imprimer en juin 2013
sur les presses d'Impresia-Cayfosa

SOMMAIRE

KIT CRÈMES & SAUCES

Le NUTELLA® peut aussi s'ajouter à une sauce ou à une crème pour donner ce petit goût de noisette chocolaté à vos sauces préférées.

CRÈME ANGLAISE AU NUTELLA®
POUR 20 CL

1 grosse cuillerée à soupe de NUTELLA®
20 cl de crème anglaise

Détendre le NUTELLA® au bain-marie. Le laisser tiédir et le verser sur la crème anglaise. Bien mélanger. Réserver au réfrigérateur en attendant de servir.

CRÈME FOUETTÉE AU NUTELLA®
POUR 20 CL

1 grosse cuillerée à soupe de NUTELLA®
20 cl de crème liquide
20 g de sucre glace

Verser la crème dans un bol et la placer au congélateur avec les fouets du batteur électrique pendant 15 minutes. Détendre le NUTELLA® au bain-marie et bien le laisser tiédir. Sortir la crème du congélateur, incorporer le NUTELLA® et fouetter en chantilly, en ajoutant progressivement le sucre glace. Réserver au réfrigérateur en attendant de servir.

SAUCE AU NUTELLA®
POUR 20 CL

2 grosses cuillerées à soupe de NUTELLA® détendu au bain-marie
150 g de chocolat noir ou au lait

Faire fondre le chocolat cassé en morceaux au bain-marie. Ajouter le NUTELLA® et bien mélanger, jusqu'à obtention d'un mélange homogène. Laisser refroidir et réserver au réfrigérateur en attendant de servir.

KIT FEUILLETÉS

Le NUTELLA® est le copain idéal de la pâte feuilletée !

TORSADES AU NUTELLA®

1 pâte feuilletée
40 g de noisettes hachées
4 cuillerées à soupe de NUTELLA® ramolli
2 cuillerées à soupe de sucre glace

Préchauffer le four à 180 °C. Dérouler
la pâte feuilletée sur son papier cuisson
et la déposer sur une plaque allant au four.
La tartiner de NUTELLA® et la saupoudrer
de noisettes. Rouler la pâte sur elle-même,
puis la couper en deux parts égales.
Torsader les deux rouleaux sur eux-mêmes
et les parsemer de noisettes hachées.
Enfourner pour 10 à 15 minutes.
Saupoudrer les torsades de sucre glace.

PALMITOS AU NUTELLA®

1 pâte feuilletée
20 g de beurre fondu
4 ou 5 cuillerées à soupe de NUTELLA® ramolli
2 cuillerées à soupe de sucre glace

Préchauffer le four à 180 °C. Dérouler
la pâte feuilletée sur son papier cuisson
et la déposer sur une plaque allant au four.
La tartiner de NUTELLA®. Rouler la pâte
feuilletée en rabattant deux extrémités
vers le centre et la placer au congélateur
pendant 10 minutes. Lorsque le rouleau
est bien dur, faire fondre le beurre et en
badigeonner le rouleau avant de le couper en
tranches égales. Enfourner pour 10 minutes
environ. Saupoudrer de sucre glace et servir.

KIT FONDUE

Rien de plus ludique pour faire manger des fruits aux enfants… et aux grands !

POUR 4 PERSONNES

1 pot de NUTELLA®
150 g de fraises
2 bananes
2 kiwis
50 g de groseilles
100 g de mûres

1- Ouvrir le pot de NUTELLA® et le faire chauffer au bain-marie pendant 5 minutes, jusqu'à ce qu'il soit bien fondu, en mélangeant constamment avec une cuillère en bois.
2- Laver les fruits, les éplucher et les couper en deux, en morceaux ou en tranches assez épaisses.
3- Servir les fruits et la casserole de NUTELLA® fondu à côté. Utiliser des piques en bois pour plonger les fruits dans le NUTELLA®. Attention de pas perdre son fruit au fond du pot, sinon on a droit à un gage !

MILLEFEUILLE EXPRESS

10 MIN DE PRÉPARATION - 10 MIN DE CUISSON

POUR 4 PERSONNES

10 feuilles de brick
environ
20 g de beurre fondu
4 ou 5 cuillerées à soupe
de NUTELLA® ramolli
2 cuillerées à soupe
de sucre glace
2 cuillerées à soupe
de vermicelles
au chocolat

1- Préchauffer le four à 180 °C. Découper les feuilles de brick en rectangles d'environ 10 x 8 cm. Les badigeonner de beurre fondu et les placer sur une feuille de papier cuisson. Enfourner pendant 10 minutes, jusqu'à ce qu'elles soient dorées.
2- Les laisser refroidir, puis les tartiner de NUTELLA®. Faire de même avec les autres feuilles jusqu'à ce qu'elles soient toutes cuites.
3- Superposer 4 ou 5 feuilles et les saupouder de sucre glace et de vermicelles.

MOELLEUX coeur coulant NUTELLA®

15 MIN DE PRÉPARATION - 30 MIN DE CONGÉLATION - 10 MIN DE CUISSON

POUR 4 MOELLEUX

100 g de chocolat au lait
pâtissier

2 œufs

50 g de sucre blond

20 g de beurre demi-sel
ramolli

½ sachet de levure
chimique

100 g de farine

80 g de poudre
de noisettes

4 cuillerées à soupe
de NUTELLA®

1- Préchauffer le four à 200 °C.
2- Fouetter le NUTELLA® pour le détendre et le verser dans des
moules à glaçons ou en silicone en forme de cœur. Réserver
au congélateur pendant 30 minutes.
3- À l'aide d'un fouet, mélanger les œufs avec le sucre
jusqu'à ce que le mélange blanchisse. Ajouter la farine,
la poudre de noisettes et la levure. Bien mélanger.
4- Dans une casserole, faire fondre le chocolat cassé en
morceaux avec le beurre coupé en petits dés. Ajouter
ce mélange à la préparation précédente et bien mélanger,
puis verser la moitié de la pâte dans des ramequins beurrés.
5- Déposer délicatement 1 cœur de NUTELLA® au centre de
chacun d'eux et recouvrir avec le reste de pâte.
6- Enfourner pendant 10 minutes et servir aussitôt.

MINI MADELEINES AU NUTELLA®

15 MIN DE PRÉPARATION - 9 MIN DE CUISSON

**POUR
24 MINI MADELEINES**

150 g de farine bio
tamisée

125 g de beurre demi-sel
ramolli

150 g de sucre blond

2 gros œufs

2 cuillerées à soupe
de lait

1 cuillerée à café
de levure chimique

2 grosses cuillerées
à soupe de NUTELLA®

1- Préchauffer le four à 220 °C.
2- Battre les œufs avec le sucre jusqu'à ce que le mélange
blanchisse. Ajouter progressivement la farine, le beurre, le lait,
la levure et 1 grosse cuillerée à soupe de NUTELLA®.
Bien mélanger.
3- Verser 1 cuillerée à café de pâte dans chaque empreinte
d'un moule à madeleine bien beurrée.
4- Ajouter une petite touche de NUTELLA® sur le dessus
et enfourner pour 3 minutes à 220 °C, puis baisser
la température à 180 °C et prolonger la cuisson de 6 minutes.

MUFFINS

15 MIN DE PRÉPARATION · 17 À 20 MIN DE CUISSON

**POUR 10 MUFFINS
ENVIRON**

200 g de farine

3 cuillerées à café
de levure chimique

100 g de sucre en poudre

1 cuillerée à café de sel

100 g de beurre fondu

3 œufs

10 cl crème liquide

1 cuillerée à soupe de lait

100 g de chocolat au lait
aux noisettes

50 g de NUTELLA® +
10 cuillerées à café de
NUTELLA® pour la déco

125 g de pépites de
chocolat

1- Préchauffer le four à 180 °C.
2- Mélanger la farine, la levure, le sucre et le sel.
3- Battre les œufs avec la crème liquide, puis ajouter
le beurre fondu.
4- Faire fondre le chocolat au bain-marie avec 1 cuillerée
à soupe de lait. Ajouter le chocolat fondu et le NUTELLA®
au mélange d'œufs, de crème et de beurre. Bien mélanger,
puis incorporer la farine mélangée et les pépites de chocolat.
Remplir aux trois quarts des moules à muffin ou
des caissettes en papier de cette préparation et ajouter une
cuillerée à café de NUTELLA® au centre.
5- Enfourner pour 20 minutes environ.

CROQUE-MONSIEUR AU NUTELLA®

5 MIN DE PRÉPARATION - 3 À 5 MIN DE CUISSON

POUR 4 PERSONNES

1 pain de mie tranché

4 à 5 cuillerées à soupe de NUTELLA®

2 poires

20 g de beurre demi-sel

2 cuillerées à soupe de pralin

1 - Mettre le pot de NUTELLA® au bain-marie quelques minutes pour qu'il se liquéfie un peu.

2 - Tartiner les tranches de pain de mie de beurre salé sur une seule face. De l'autre face, tartiner les de NUTELLA® fondu.

3 - Eplucher et couper les poires en fines tranches, disposer les sur les tartines de NUTELLA®, refermer le croque-Monsieur et parsemer de pralin les faces beurrées.

4 - Placer les croques sous le grill ou le toaster à croque-monsieur.

5 - Laisser griller 3 à 5 minutes. Déguster chaud aussitôt !

COOKIES AU CHOCOLAT ET AU NUTELLA®

15 MIN DE PRÉPARATION
1 H DE RÉFRIGÉRATION
8 À 10 MIN DE CUISSON

POUR 12 COOKIES

250 g de farine

½ sachet de levure

125 g de sucre blanc

125 g de sucre roux

1 pincée de sel

100 g de beurre

50 g de NUTELLA®

1 œuf

1 sachet de sucre vanillé

100 g de pépites de chocolat

1- Préchauffer le four à 240 °C.
2- Mélanger tous les ingrédients secs et réserver.
3- Faire fondre le beurre et le NUTELLA® au bain-marie, puis verser le mélange sur les ingrédients secs. Ajouter l'œuf et bien mélanger.
4- Ajouter les pépites de chocolat et mélanger. Si possible, réserver au 1 heure au réfrigérateur.
5- Recouvrir la plaque du four de papier cuisson. Faire des boules de pâte de 5 cm de diametre environ et les déposer sur la plaque en appuyant légèrement dessus avec le plat de la main.
6- Enfourner pendant 8 à 10 minutes.
7- Laisser refroidir un peu les cookies avant de les décoller et de les déposer sur une grille.

ROULÉ AU NUTELLA®

30 MIN DE PRÉPARATION - 3 H DE RÉFRIGÉRATION - 12 À 15 MIN DE CUISSON

POUR 6 PERSONNES

4 œufs, jaunes et blancs séparés

120 g de sucre en poudre

120 g de farine

1 pincée de sel

20 cl de crème fleurette

3 à 4 cuillerées à soupe de NUTELLA®

1 sachet de Cremfix (fixateur à chantilly, facultatif)

2 cuillerées à soupe de sucre glace

1- Préchauffer le four à 180 °C.

2- Fouetter les jaunes avec le sucre jusqu'à blanchiment de la préparation. Saupoudrer de farine progressivement.

3- Monter les blancs en neige avec une pincée de sel.

4- Incorporer délicatement les blancs en neige à la pâte.

5- Verser la préparation sur une plaque rectangulaire recouverte d'une feuille de papier sulfurisée. Enfourner pour 12 à 15 min.

6- Démouler cette pâte de génoise sur un torchon humide, la recouvrir d'un autre torchon humide et laisser la refroidir.

7- Fouetter la crème fleurette bien froide avec le sucre glace et le sachet de Cremfix.

8- Ajouter le NUTELLA® et continuer de fouetter quelques secondes. Placer la crème au réfrigérateur pour 1 heure jusqu'au totale refroidissement de la génoise.

9- Lorsque la génoise est froide, étaler à la spatule le crème chantilly chocolatée sur la totalité de la surface et enrouler la.

10- Envelopper le tout dans un film alimentaire. Mettre au réfrigérateur pour 2 heures minimum.

11- Sortir le roulé du réfrigérateur et le tartiner entièrement de NUTELLA®. Pour qu'il soit plus souple à manipuler, le NUTELLA® peut être légèrement ramolli au bain-marie.

LE BIRTHDAY CAKE FAÇON FORÊT-NOIRE

45 MIN DE PRÉPARATION - 2 H DE RÉFRIGÉRATION - 30 MIN DE CUISSON

POUR 6-8 PERSONNES

GÉNOISE

175 g de farine tamisée

1 sachet de levure chimique

175 g de beurre mou

175 g de sucre roux

4 œufs

2 cuillerées à soupe de NUTELLA®

1 gros pot de NUTELLA® pour le fourrage

GLAÇAGE

750 g de sucre glace

300 g de beurre

1 cuillerée à soupe de cacao amer en poudre

pépites de chocolat

1 - Préchauffer le four à 180 °C.

2 - Dans le bol d'un robot batteur, mettre tous les ingrédients de la génoise et battre pendant 1 minute, jusqu'à obtention d'une pâte lisse.

3 - Utiliser deux moules à manqué de diamètre identique. Y verser la pâte et enfourner pendant 30 minutes.

4 - Au terme de la cuisson, laisser les gâteaux refroidir avant de les démouler sur une grille.

5 - Crème au beurre : Battre le sucre avec le beurre et le cacao en poudre jusqu'à ce que la préparation soit lisse.

6 - Couper les gâteaux en deux dans le sens de l'épaisseur. Étaler une couche de NUTELLA® sur un premier disque, puis couvrir d'un deuxième disque et étaler de nouveau du NUTELLA®. Recommencer jusqu'au dernier disque de génoise et terminer en étalant de la crème au beurre sur toute la surface du gâteau.

7 - Décorer avec des pépites de chocolat.

MILLEFEUILLE AU CAFÉ ET AU NUTELLA®

40 MIN DE PRÉPARATION - 12 H DE RÉFRIGÉRATION

POUR 6 PERSONNES

200 g de beurre mou

70 g de NUTELLA®

150 g de sucre glace

2 œufs, blancs et jaunes séparés

1 pincée de sel

1 paquet de petits-beurre

25 cl de café froid

1 cuillerée à café d'arôme de café liquide

GLAÇAGE

10 g de beurre mou

2 cuillerées à soupe de NUTELLA®

100 g de sucre glace

1- À l'aide d'un fouet, battre les jaunes avec le beurre et le NUTELLA®, puis ajouter le sucre glace et l'arôme de café. Bien mélanger jusqu'à ce que le mélange blanchisse un peu.

2- Battre les blancs en neige avec le sel, les incorporer à la préparation précédente et réserver au réfrigérateur.

3- Pour le glaçage, faire fondre le NUTELLA® avec le beurre au bain-marie et ajouter le sucre glace. Mélanger jusqu'à obtention d'un mélange onctueux et lisse ; réserver.

4- Imbiber les biscuits de café froid et les disposer au fond d'un moule à cake tapissé de film alimentaire (ou d'un moule à fond amovible).

5- Les recouvrir d'une couche de crème, puis ajouter une autre couche de biscuits. Alterner les couches jusqu'à épuisement des ingrédients.

6- Napper le gâteau avec la sauce au NUTELLA®.

7- Le réserver au réfrigérateur pendant 12 heures avant de le démouler et de le décorer.

BROWNIES AUX NOIX DE PÉCAN

30 MIN DE PRÉPARATION - 2 H DE RÉFRIGÉRATION - 30 MIN DE CUISSON

POUR 6-8 PERSONNES

3 œufs

100 g de chocolat noir
ou au lait en copeaux

100 g de NUTELLA®

150 g de beurre

150 g de sucre en poudre

2 sachets de sucre vanillé

80 g de farine tamisée

50 g de noix de pécan

1- Préchauffer le four à 200 °C. Beurrer et fariner le moule.
2- À l'aide d'un couteau, concasser les noix de pécan
et les torréfier à sec, dans une poêle chaude.
3- Faire fondre le beurre au bain-marie, ajouter le NUTELLA®
et bien mélanger
4- Hors du feu, ajouter le chocolat en copeaux et mélanger.
5- Battre les œufs avec le sucre jusqu'à obtention
d'un mélange mousseux. Ajouter le mélange au chocolat
et la farine en pluie. Parsemer de noix de pécan et mélanger
délicatement la préparation.
6- Enfourner et laisser cuire pendant 30 minutes environ.

GÂTEAU MARBRÉ

20 MIN DE PRÉPARATION · 30 MIN DE CUISSON

POUR 6 PERSONNES

4 œufs, blancs et jaunes séparés + 1 œuf entier

125 g de sucre

125 g de farine tamisée

1 sachet de levure chimique

100 g de NUTELLA®

1 sachet de sucre vanillé

50 g de beurre

1- Préchauffer le four à 180 °C.

2- Fouetter 4 jaunes d'œuf avec le sucre jusqu'à ce que le mélange blanchisse. Ajouter 1 œuf entier, la farine, la levure et mélanger énergiquement.

3- Répartir équitablement la pâte dans deux saladiers.

4- Faire fondre le NUTELLA® au bain-marie pour qu'il se liquéfie un peu.

5- Dans l'une des pâtes, verser le NUTELLA® ; dans l'autre, incorporer le sucre vanillé et le beurre fondu.

6- Monter les blancs d'œuf en neige et les incorporer dans les deux préparations. Bien mélanger à l'aide d'une spatule.

7- Dans un moule à cake beurré et fariné, verser les deux préparations en alternant les couches.

8- Enfourner pour 30 minutes environ. Démouler le gâteau et le laisser refroidir sur une grille.

SPONGE CAKE AU NUTELLA®

15 MIN DE PRÉPARATION - 45 MIN DE CUISSON

POUR 6 PERSONNES

100 g de chocolat au lait

50 g de NUTELLA®

75 g de vergeoise brune

120 g de farine tamisée

20 g de poudre
de noisettes

1 cuillerée à café
de levure chimique

2 gros œufs

10 cl de lait

1 pincée de sel

40 g de beurre

1- Préparer une casserole d'eau et un panier-vapeur
d'une largeur plus grande que le moule en porcelaine
à placer au-dessus.
2- Faire chauffer le lait dans un bol au four à micro-ondes.
Faire fondre le chocolat dans le lait chaud et mélanger
au fouet pour qu'il fonde rapidement. Réserver.
3- Dans un saladier, fouetter la vergeoise et le beurre,
puis ajouter le NUTELLA®.
4- Ajouter les œufs un à un, en mélangeant après chaque
ajout, puis incorporer la farine, la levure chimique, la poudre
de noisettes, le sel et le chocolat fondu. Verser le mélange
dans le moule en porcelaine beurré.
5- Poser le moule dans le panier-vapeur, bien couvrir
de papier cuisson et maintenir ce dernier avec un élastique.
6- Faire cuire pendant 45 minutes environ.

GÂTEAU FONDANT À LA CRÈME DE NOISETTE

20 MIN DE PRÉPARATION · 35 MIN DE CUISSON

POUR 6 PERSONNES

50 g de NUTELLA® + 40ml

4 cuillerées à soupe pour le glaçage

200 g de chocolat au lait pâtissier

100 g + 180 g de beurre mou 225ml

125 g de sucre roux

1 cuillerée à café d'extrait de vanille

4 œufs, jaunes et blancs séparés

1 pincée de sel

50 g de poudre d'amandes

80 g de noisettes entières

2 cuillerées à soupe de pralin

75 g de sucre glace 75ml

1- Préchauffer le four à 160 °C et beurrer 2 moules de 18 cm de diamètre environ.

2- Faire fondre au bain-marie 50 g de NUTELLA® avec le chocolat coupé en petits morceaux. Ajouter 100 g de beurre coupé en dés, le sucre, la vanille et les jaunes d'œuf. Mélanger très délicatement. Hors du feu, ajouter la poudre d'amandes.

3- Monter les blancs en neige avec le sel et les incorporer petit à petit à la préparation au chocolat. Bien mélanger.

4- Verser le tout de façon équitable dans les moules et enfourner pendant 35 minutes. Démouler les gâteaux et les laisser refroidir.

5- Dans une poêle, faire chauffer les noisettes à sec, les déposer dans un bol et les faire rouler sous les doigts pour enlever les peaux, puis les couper ou les hacher grossièrement à l'aide d'un couteau.

6- Dans un bol, fouetter quelques minutes les 180 g de beurre, la moitié des noisettes hachées et du pralin, puis le sucre glace.

7- Tartiner le premier gâteau de ce mélange et empiler le second par-dessus. Couvrir le second disque de NUTELLA® et du reste des noisettes et pralin.

CAKE AU NUTELLA® ET AU PANAIS

15 MIN DE PRÉPARATION - 35 MIN DE CUISSON

POUR 6-8 PERSONNES

200 g de farine

1 cuillerée à café
de levure chimique

130 g de beurre mou

130 g de cassonade

200 g de panais râpé

120 g de chocolat blanc

50 g de NUTELLA®

1 pincée de sel

le zeste d'une orange
non traitée

1 - Préchauffer le four à 180 °C.

2 - Dans un saladier, fouetter le beurre avec le sucre jusqu'à ce que le mélange blanchisse.

3 - Ajouter le NUTELLA®, le zeste d'orange finement râpé et le panais râpé. Bien mélanger.

4 - Ajouter la farines, le sel et la levure. Bien mélanger.

5 - Casser le chocolat en petits morceaux et en ajouter la moitié à la préparation. Bien mélanger.

6 - Verser la pâte dans le moule à cake, puis enfoncer le reste des carrés de chocolat blanc sur le dessus.

7 - Enfourner et laisser cuire pendant 35 minutes environ. Piquer avec un couteau au centre pour vérifier la cuisson, la lame doit ressortir sèche.

TARTE FOLLE

20 MIN DE PRÉPARATION - 40 MIN DE CUISSON - I H 30 DE RÉFRIGÉRATION

POUR 6 PERSONNES

200 g de spéculos
ou de palets bretons

60 g de beurre

70 g de NUTELLA®

50 g de chocolat noir
ou au lait

150 g d'un mélange
de noix, de pistaches,
d'amandes effilées, de
pignons et de noisettes
mondées

CARAMEL

15 cl de crème liquide

180 g de sucre en poudre

1 pincée de sel

NAPPAGE

120 g de chocolat
au lait pâtissier

2 cuillerées à soupe
de crème liquide

1 poignée de Daim®
concassés

1- Préchauffer le four à 180 °C. Beurrer un moule à tarte.
2- Faire fondre le beurre au bain-marie ou au four à
micro-ondes. Écraser les biscuits au rouleau à pâtisserie après
les avoir mis dans un sac congélation ou les passer au mixeur.
Ajouter le beurre et bien mélanger, jusqu'à obtention d'une
pâte à cheese-cake épaisse.
3- Étaler la préparation au fond du moule en remontant sur
les bords. Enfourner et laisser cuire pendant 10 à 15 minutes
tout en surveillant, puis laisser refroidir.
4- Déposer les fruits secs sur une plaque recouverte de papier
cuisson et les faire rôtir pendant 10 minutes à four chaud.
5- Faire fondre le chocolat et le NUTELLA® au bain-marie,
étaler le mélange sur le fond de tarte et saupoudrer de fruits
secs rôtis. Réserver au réfrigérateur pendant 1 heure.
6- Dans une casserole à fond épais, faire chauffer le sucre
avec 2 cuillerées à soupe d'eau. Mélanger régulièrement
jusqu'à obtention d'un caramel. Hors du feu, ajouter le sel
et la crème. Bien mélanger à l'aide d'un fouet et remettre
sur le feu pour 2 minutes, puis verser le caramel sur la tarte.
7- Dans une casserole, faire fondre le chocolat au lait
avec 2 cuillerées à soupe de crème. Ajouter les éclats de
Daim®, puis verser sur le caramel. Réserver au réfrigérateur
pendant 30 minutes avant de déguster.

SAUCISSON AU RIZ SOUFFLÉ

20 MIN DE PRÉPARATION - 3 À 4 H DE RÉFRIGÉRATION

POUR 6-8 PERSONNES

4 cuillerées à soupe
de NUTELLA®

250 g de riz soufflé
type Rice Krispies®

200 g de noisettes
concassées ou de pralin

40 g de beurre

1 petit verre de liqueur de
poire ou d'un autre alcool
(facultatif)

1 jaune d'œuf

2 cuillerées à soupe
de sucre

1- Laisser ramollir le beurre à température ambiante
quelques heures avant la préparation.
2- À l'aide d'un fouet, mélanger le beurre ramolli
et le sucre jusqu'à ce que le mélange blanchisse.
3- Ajouter petit à petit le riz soufflé, le NUTELLA® et le jaune
d'œuf, puis les noisettes concassées. Bien mélanger
après chaque ajout.
4- Ajouter la liqueur de poire.
5- Travailler la pâte en la malaxant avec les mains,
puis former un saucisson bien lisse et le déposer sur du film
alimentaire. Le rouler dans le film, serrer les extrémités
et les fermer à la façon d'un bonbon.
6- Réserver le saucisson au réfrigérateur pendant 3 à 4 heures
au minimum.
7- Enlever le film alimentaire et saupoudrer le saucisson
de noisettes concassées ou de pralin. Le servir en tranches
avec un morceau de pain.

TIRAMISU AU NUTELLA®

25 MIN DE PRÉPARATION - 3 À 4 H DE RÉFRIGÉRATION

POUR 4 PERSONNES

½ boîte de biscuits
à la cuiller

Le zeste finement râpé
d'un citron jaune bio

30 cl de café froid

300 g de mascarpone

50 g de NUTELLA®

50 g de chocolat au lait

3 œufs, blancs et jaunes
séparés

1 pincée de sel

80 g de sucre en poudre

4 cuillerées à soupe
de cacao amer

2 cuillerées à soupe
de pralin

1- À l'aide d'un fouet, battre les jaunes avec le sucre jusqu'à ce que le mélange blanchisse.
2- Ajouter le mascarpone et le zeste de citron. Bien mélanger.
3- Détendre le NUTELLA® au bain-marie pour qu'il se liquéfie, puis ajouter le chocolat cassé en morceaux. Bien mélanger jusqu'à ce que le mélange soit lisse.
4- Battre les blancs en neige ferme avec le sel et les incorporer à la préparation précédente.
5- Imbiber de café les biscuits à la cuiller et en tapisser le fond de quatre verres ou d'un plat à gratin.
6- Ajouter une couche de crème au mascarpone, puis une couche de sauce au NUTELLA® et une dernière couche de crème au mascarpone. Saupoudrer la surface de cacao et de pralin.
7- Réserver les tiramisus au réfrigérateur pendant 3 à 4 heures au minimum.

MOUSSE AU NUTELLA®

25 MIN DE PRÉPARATION - 3 H DE RÉFRIGÉRATION - 10 MIN DE CUISSON

POUR 4 PERSONNES

100 g de chocolat au lait

50 g de **NUTELLA**®

50 g de beurre

3 œufs, blancs et jaunes séparés

2 cuillerées à soupe de sucre en poudre

1 pincée de sel de Guérande

1 paquet de langues de chat

2 cuillerées à soupe de vermicelles en chocolat pour la décoration

1 - Faire fondre le chocolat et le NUTELLA® au bain-marie.

2 - Ajouter le beurre et mélanger jusqu'à obtention d'une crème onctueuse.

3 - Mettre hors du bain-marie et ajouter les jaunes d'œuf. Bien mélanger.

4 - Monter les blancs d'œuf en neige bien ferme avec le sel ; ajouter progressivement le sucre sans cesser de battre.

5 - Incorporer délicatement les blancs en neige au mélange chocolaté refroidi. Bien mélanger, puis réserver au réfrigérateur pendant 3 heures au minimum.

6 - Déposer un peu de mousse au NUTELLA® sur une langue de chat et poser dessus un second biscuit sans trop appuyer. Répéter l'opération jusqu'à épuisement des ingrédients.

7 - Décorer de quelques vermicelles de chocolat et déguster.

CRÈME BRÛLÉE AU NUTELLA®

15 MIN DE PRÉPARATION - 50 MIN DE CUISSON

POUR 4 PERSONNES

5 jaunes d'œuf

3 cuillerées à soupe rases de NUTELLA®

100 g de sucre en poudre

4 cuillerées à soupe de cassonade

50 cl de crème liquide entière

1 gousse de vanille

1- Préchauffer le four à 100 °C.

2- Battre les jaunes d'œuf avec le sucre jusqu'à ce que le mélange blanchisse et mousse.

3- Fendre la gousse de vanille en deux dans le sens de la longueur et gratter l'intérieur de façon à récupérer les graines. Les mettre dans le mélange.

4- Dans une petite casserole portée sur feu doux, mélanger la crème liquide et le NUTELLA® à l'aide d'un fouet jusqu'à ce que ce dernier soit dissous. Attention, la crème ne doit surtout pas bouillir.

5- Verser cette préparation sur le mélange aux œufs, en fouettant énergiquement pour que les œufs ne cuisent pas.

6- Répartir la crème dans des ramequins et enfourner pour environ 50 minutes.

7- Laisser refroidir les crèmes. Les parsemer de cassonade et les passer au chalumeau de cuisine ou sous le gril du four pendant 2 minutes à 250 °C.

EASY TRIFLE MERINGUÉE

15 MIN DE PRÉPARATION - 15 MIN DE CONGÉLATION - 5 MIN DE CUISSON - 1 H DE RÉFRIGÉRATION

POUR 4 PERSONNES

4 petites meringues

20 cl de crème liquide

40 g de sucre glace

4 à 6 cuillerées à soupe de NUTELLA®

150 g de fromage blanc en faisselle

2 cuillerées à soupe de pralin ou de noisettes grillés concassées

4 petites meringues pour le décor

1- Verser la crème dans un bol et la placer au congélateur, avec les fouets du batteur électrique, pendant 15 minutes.
2- Faire fondre le NUTELLA® au bain-marie.
3- Casser les meringues en tout petits morceaux,
4- Sortir la crème du congélateur et la fouetter en chantilly, en ajoutant progressivement le sucre glace.
5- À l'aide d'une cuillère en bois, incorporer très délicatement le fromage blanc à la chantilly.
6- Répartir les morceaux de meringue au fond de quatre verrines. Verser une couche de NUTELLA® par-dessus, puis ajouter une couche de chantilly. Pour finir, décorer avec une petite meringue et le pralin.
7- Réserver au réfrigérateur pendant 1 heure au minimum avant de déguster.

PETITS POTS DE CRÈME AU NUTELLA®

10 MIN DE PRÉPARATION - 10 MIN DE CUISSON - 2 H DE RÉFRIGÉRATION

POUR 6 PERSONNES

2 jaunes d'œuf

25 g de sucre

25 cl de lait

125 g de crème liquide

7 cuillerées à soupe
de NUTELLA®

1- Battre les jaunes d'œufs avec le sucre jusqu'à ce que le mélange blanchisse.

2- Dans une casserole, porter à ébullition le lait et la crème, puis verser aussitôt sur les œufs en remuant vivement. Remettre le tout sur le feu et, sans cesser de remuer, faire chauffer jusqu'à frémissement de la crème.

3- Arrêter alors la cuisson, ajouter le NUTELLA® et mélanger délicatement jusqu'à obtention d'une crème lisse et parfaitement homogène.

4- Verser dans des petits pots en verre ou des ramequins, laisser refroidir et réserver au réfrigérateur pendant 2 heures au minimum.

ROSES DES SABLES

15 MIN DE PRÉPARATION - 5 MIN DE CUISSON - 1 H DE RÉFRIGÉRATION

POUR UNE VINGTAINE DE ROSES

500 g de pétales de maïs soufflés
150 g de chocolat au lait pâtissier
100 g de NUTELLA®
200 g de sucre glace
250 g de Végétaline®

1- Faire fondre la Végétaline® au bain-marie avec le chocolat et le NUTELLA®, en mélangeant doucement avec une cuillère en bois jusqu'à obtention d'un mélange homogène.

2- Mettre hors du feu, ajouter le sucre glace et bien mélanger.

3- Verser la préparation dans un grand saladier, ajouter les pétales de maïs soufflés et mélanger délicatement.

4- Former des petits tas et les déposer sur une plaque recouverte de papier cuisson ou dans caissettes en papier.

5- Réserver au réfrigérateur pendant au minimum 1 heure avant de déguster.

TRUFFETTES

30 MIN DE PRÉPARATION - 2 H DE RÉFRIGÉRATION - 5 MIN DE CUISSON

**POUR 20 TRUFFES
ENVIRON**

400 g de NUTELLA®

16 noisettes entières

100 g de chocolat noir
pâtissier

1 cuillerée à soupe
de crème liquide

3 cuillerées à soupe
de cacao amer

1 - Mettre le NUTELLA® dans une assiette creuse et placer
celle-ci au réfrigérateur pendant 1 heure pour qu'il durcisse.
2 - Casser les noisettes en deux.
3 - À l'aide d'une cuillère parisienne, prélever des billes
de NUTELLA®. Enfoncer une demi-noisette au centre de
chacune d'elles, les placer sur une feuille de papier cuisson et
réserver au réfrigérateur.
4 - Faire fondre le chocolat noir et la crème au bain-marie,
5 - puis mélanger jusqu'à obtention d'une ganache lisse.
6 - Sortir les billes de NUTELLA®, les tremper dans le chocolat
fondu et les déposer au fur et à mesure sur une plaque
recouverte de papier cuisson.
7 - Placer à nouveau les billes au réfrigérateur, pendant 1 heure
environ, puis les rouler dans le cacao.
8 - Les conserver dans le réfrigérateur.

NEMS À LA BANANE ET AU NUTELLA®

15 MIN DE PRÉPARATION - 10 À 12 MIN DE CUISSON

POUR 4 PERSONNES

2 bananes

4 ours à la guimauve

4 cuillerées à soupe
de NUTELLA®

4 feuilles de brick

2 cuillerées à soupe
de sucre glace

10 g de beurre fondu

1- Préchauffer le four à 210 °C.

2- Éplucher les bananes et les couper en deux, puis
les recouper en deux dans le sens de la longueur.

3- Faire fondre le NUTELLA® au bain-marie pendant quelques
minutes pour le détendre.

4- Disposer une feuille de brick à plat sur le plan de travail,
la tartiner d'un peu de NUTELLA® fondu en haut et en bas,
ajouter en bas deux tronçons de banane et un nounours,
puis la rouler en rabattant les bords, comme pour faire
un nem. Répéter l'opération avec le reste des ingrédients.

5- Badigeonner les petits rouleaux de beurre fondu, les placer
sur la plaque du four tapissée de papier cuisson et enfourner
pour 10 à 12 minutes : ils doivent être bien dorés.

6- Saupoudrer de sucre glace et déguster aussitôt.

SUCETTES AU NUTELLA®

20 MIN DE PRÉPARATION - 5 À 10 MIN DE CUISSON - 2 À 3 H DE RÉFRIGÉRATION

POUR 12 SUCETTES

1 banane

1 poire

1 pomme

70 g de beurre

100 g de NUTELLA®

2 cuillerées à soupe
de perles en sucre
multicolores

1- Faire fondre le beurre et le NUTELLA® au bain-marie, puis
mélanger jusqu'à obtention d'une sauce onctueuse et lisse.
Sortir du bain-marie et réserver à température ambiante.
2- Éplucher les fruits. À l'aide d'une cuillère parisienne,
prélever des billes dans chacun d'eux et les déposer sur
du papier absorbant.
3- Piquer un bâtonnet ou une brochette en bois dans
chaque bille de fruit, tremper celle-ci dans la sauce au
NUTELLA® et la passer doucement dans les perles
multicolores.
4- Déposer les sucettes sur une feuille de papier cuisson et
les réserver au réfrigérateur pendant 2 à 3 heures au minimum.

FUDGE AU NUTELLA® ET À LA GUIMAUVE

15 MIN DE PRÉPARATION · 10 MIN DE CUISSON · 2 H DE RÉFRIGÉRATION

POUR 20 À 25 CARRÉS

115 g de beurre mou

200 g de NUTELLA®

400 g de sucre en poudre

140 g de lait concentré non sucré

15 morceaux de guimauve

1- Faire ramollir le NUTELLA® au bain-marie, puis le mélanger avec le beurre mou.

2- Dans une casserole, faire fondre le sucre avec le lait à feu doux, ajouter les morceaux de guimauve et mélanger jusqu'à ce qu'ils soient dissous. Laisser alors chauffer pendant 5 à 6 minutes, toujours sur feu très doux.

3- Ajouter le NUTELLA® et le beurre en mélangeant doucement.

4- Verser la préparation dans un moule plat chemisé de papier sulfurisé ou sur une plaque recouverte de papier cuisson, puis réserver au réfrigérateur pendant 2 heures au minimum.

5- Une fois le fudge bien durci, le démouler et le découper avec délicatesse en petits carrés.